© 2003 Éditions Nord-Sud, pour l'édition en langue française
© 2003 Nord-Süd Verlag AG, Gossau Zurich, Suisse
Tous droits réservés. Imprimé en Belgique
Loi n° 49-956 du 16 juillet 1949 sur les publications destinées à la jeunesse
Dépôt légal: 1er trimestre 2003
ISBN 3 314 21578 9

C'est lui ou nous...

Une histoire racontée par Udo Weigelt
illustrée par Nora Hilb
et traduite par Danièle Ball-Simon

Éditions Nord-Sud

Ce matin, comme chaque matin, la Bande des Quatre
fait sa ronde. C'est une bande secrète, composée
de quatre gros chats: Numéro Un, Deux, Trois et Quatre.
Ils s'appellent ainsi pour que personne ne les repère.
Mais aujourd'hui, une surprise les attend dans le jardin
de la maison inhabitée: une nouvelle famille
vient d'emménager. Allongé sur les marches, un matou
au pelage roux se prélasse au soleil. Et, blotti contre lui
dort... un petit hamster!

«Bonjour!» dit Numéro Un, le chef, au nouveau venu.
«Salut! répond le matou. Je m'appelle Olaf. Et vous?»
«Nous sommes la Bande des Quatre, une bande
ultra-secrète.»
«Tu aimerais en faire partie? propose Numéro Deux.
Tu pourrais devenir Numéro Cinq.»
«Oh oui! Avec plaisir!» se réjouit Olaf.
«Au fait... bravo! Tu as attrapé un beau hamster, admire
Numéro Trois. J'espère qu'on le mangera ensemble.
Dans la bande, on partage tout.»

«Partager Fifi? s'écrie Olaf. Mais vous n'y pensez pas!
C'est mon meilleur ami!»
Fifi salue gentiment la bande. Puis, pas très rassuré,
il file se réfugier entre les pattes d'Olaf.
«Quoi? Tu es l'ami d'un hamster?» s'écrie Numéro Quatre.
Les chats sont pris d'un terrible fou rire.
«Écoute, dit finalement Numéro Deux, un vrai chat
ne prendrait jamais un hamster pour ami. Ça ne se fait pas!
Ces bestioles-là sont les amies de nos crocs...
et de notre estomac, un point c'est tout!»

«Mais Fifi et moi, on est amis depuis toujours,
rétorque Olaf. Je ne peux pas le manger!»
«Hmm… réfléchit Numéro Deux. Si tu n'en veux pas,
alors laisse-le nous au moins.»
«Jamais de la vie! s'écrie Olaf. Personne ne le touchera!»

Furieux, les chats se mettent à grogner et à siffler.
Croyant que toute la bande va se jeter sur lui,
Fifi se blottit tout contre Olaf.
Mais finalement, Numéro Un déclare: «C'est bon.
On se passera de Fifi. Mais si tu restes son ami,
pas question pour toi de faire partie de notre bande.
Réfléchis bien. C'est lui ou nous. Nous reviendrons
demain.»
Sur ces mots, ils s'en vont.
Olaf les suit tristement du regard.

Aussitôt, Fifi court se réfugier dans la maison.
C'est plus prudent. Olaf le suit en traînant la patte:
il n'a pas envie de jouer comme d'habitude.
Peut-être qu'ils ont raison, songe-t-il. Un chat
et un hamster n'ont rien à faire ensemble…

Fifi, pendant ce temps, se donne tout le mal qu'il peut
pour faire rire son ami. Il commence par se déguiser,
puis il se met à danser. Il essaie même de le chatouiller.
Mais rien n'y fait.
Fifi réfléchit. «Et si tu faisais comme si nous n'étions plus
amis? suggère-t-il soudain. Il suffirait qu'on joue ensemble
seulement à l'intérieur de la maison. Personne n'en saurait rien.»
«Bonne idée!» admet Olaf.
Fifi hoche la tête. Il est content d'avoir trouvé une solution,
même s'il est un peu triste au fond de lui-même.

Le lendemain matin, la bande des chats revient
comme prévu.
«C'est d'accord, leur dit Olaf. Je veux être votre ami.»
Aussitôt, Olaf est nommé membre de la Bande des Cinq.
Mais il se sent mal à l'aise. Peut-être parce que Fifi,
assis sur le rebord de la fenêtre, a l'air si malheureux…

Le jour suivant, Fifi se retrouve tout seul et s'ennuie
à mourir. Alors, voyant que la Bande des Cinq est partie,
il sort se promener dans le jardin. Mais là, soudain,
il entend un bruit étrange, une sorte de gémissement.
Qu'est-ce que ça peut bien être? Fifi se met à inspecter
les environs et découvre… Numéro Un!
Couché par terre, il ne bouge plus et respire avec peine.

«Qu'est-ce que tu as? demande Fifi de loin.
Que s'est-il passé?»
«Mon collier... est resté... accroché... j'étouffe»,
souffle Numéro Un.
«Tiens bon! Je vais t'aider!» répond Fifi.
Sans hésiter, il se précipite vers le chat et se met à ronger
son collier. En un rien de temps, Numéro Un est libéré.

«Il était moins une! dit le chat en reprenant son souffle.
Mais dis-moi, tu n'as pas eu peur de te faire dévorer
en m'approchant d'aussi près?»
«Euh… je n'y ai même pas pensé!» avoue Fifi.
Au même instant, Olaf et le reste de la bande arrivent.
Ils cherchaient leur chef depuis un bon moment.
«Ne touche pas à Fifi! Laisse-le tranquille!» hurle alors
Olaf, croyant que Numéro Un s'apprête à se jeter
sur son ami.

«Ne t'inquiète pas, je ne toucherai jamais un poil
de ce petit-là, déclare Numéro Un.
Il vient de me sauver la vie.
À partir d'aujourd'hui,
nous aurons un hamster
dans la Bande des Six!»
Il raconte ce qui vient de lui arriver,
et tout le monde félicite Fifi.
«C'est vraiment toi, mon meilleur ami»,
lui murmure Olaf.
Perché sur une branche, l'écureuil, qui a tout entendu,
n'en croit pas ses oreilles. Décidément, les chats
sont les animaux les plus étranges du monde! se dit-il.
D'abord, ils veulent dévorer le hamster, ensuite ils lui font
la fête... Une chance que je sois un écureuil!

Udo Weigelt a également écrit les livres suivants
pour les Éditions Nord-Sud:

Lizi, la souris la plus forte du monde
Mais où sont passés les amis de Lizi¿
Le mystère des œufs de Pâques
Qui a volé l'or du hamster¿
La bande des moineaux
Qui se cache dans l'œuf de Pâques¿
J'ai rien fait, moi!
Le wombat arrive!
Le vieux castor
C'est la faute à Camille!
L'écureuil de Pâques
La forêt est à tout le monde!
C'est vrai, tout ce qu'on raconte¿
Personne ne m'écoute!
La ronde des fantômes
Boulotte, la petite futée
Le marchand de sable et la lune
Le vieil ours s'en va